D1088147

FLORENCE

FLORENZ

A Book of Photographs by

LAZZARO DONATI

With an Introduction by

EDWARD HUTTON

SPRING BOOKS • LONDON

Published by

SPRING BOOKS

WESTBOOK HOUSE • FULHAM BROADWAY • LONDON

T 1096

Printed in Czechoslovakia

First published 1960
Second impression 1961
Third impression 1962
Fourth impression 1963

Contents

THE ARMS OF THE CITY OF FLORENCE
LES ARMES DE LA CITE DE FLORENCE
WAPPEN DER STADT FLORENZ

Introduction

As one gazes over Florence on some fortunate evening from San Miniato or the Piazzale beneath it, the most beautiful city left to us in the world shines there, belted by the slowly eddying Arno, itself the colour of faded gold, surrounded by its olive-clad villaed hills; and out of it rise the great Cathedral under Brunelleschi's dome, the flower-like Campanile of Giotto, the dragon neck of the Palazzo Vecchio, the dome of the Medici chapel, the pointed tower of Santa Maria Novella, the tufted spear of Santa Croce.

This impression of the city, so nobly picturesque, is not even now lost as one wanders along the outraged Lungarno Acciaioli, between the Ponte Vecchio with its little jewellers' shops and the Ponte Santa Trinita rebuilt from Ammannati's design; yet much has been destroyed by the German rearguard actions of 1944, when all the bridges were blown up except Ponte Vecchio, when the Lungarno Acciaioli was damaged and the houses on the other side of the river destroyed. The city on both banks between the two bridges and the battered immemorial houses rising out of the Arno on the south side formed the traditional view of Florence, which every visitor for centuries had carried away with him, so that on hearing the name of Florence in a far country this was the vision that came into the mind.

But Florence is still the 'Jewel of Europe', its medieval towered streets still intact, its monastic buildings and churches of the thirteenth and fourteenth centuries, its great Cathedral covered with marble, rosy, green and white, under the mightiest and perhaps the most beautiful dome in the world, Giotto's tower beside it — something beyond architecture.

And then Florence was the birthplace and the home of the Renaissance which has filled the churches and palaces with a beauty which we may still enjoy and which time has tenderly caressed.

One comes out of the dusky vistas of those grim old streets, such as the Condotta, into the Piazzas with their graceful Renaissance loggias; there a church with an exquisite façade, here a sparkling fountain; or one comes upon the entry to a courtyard draped with cascades and drifts of flowers or face to face with the famous Loggia dei Lanzi peopled with immortal works of art, statues by Donatello, by Michelangelo, by Cellini, by Giovanni da Bologna; or penetrating behind the huge Pitti Palace one finds oneself in a Renaissance garden, also peopled with statues, the work of a great sculptor. Like those gardens, the city has a charm, a harmony of its own. Let us look at some of the more famous buildings of the city.

The double Piazza di San Giovanni and del Duomo contains the Baptistery, the Cathedral and Giotto's Tower. The Baptistery, an octagonal building covered with dark green and white marble, is one of the oldest buildings in Florence and dates from the eleventh century. Every Florentine child is still brought to this place for baptism where Dante was christened and Cacciaguida before him, where Donatello and Ghiberti laboured; this place which Dante in exile recalled and loved. Its three bronze doors with their reliefs now shining gold were made by Andrea Pisano and Ghiberti. That facing the Duomo, Michelangelo declared to be worthy of Paradise. It is pictorial rather than sculptural. The first by Andrea Pisano is in no way its inferior. Within, the octagonal cupola is covered with mosaics, the only ones in Florence; and the exquisite tessellated pavement of marble mosaic represents the Zodiac and is unmatched save in San Miniato al Monte. Over the doors are groups of bronze sculpture by Vincenzo Danti and Giovanni Rustici and another in marble of the Baptism by Sansovino.

We owe the Duomo to the genius of three men, Arnolfo di Cambio, Francesco Talenti and Filippo Brunelleschi, and to the vanity of the Florentines. It is, with its cavernous Tribunes, one of the major works of man. It has its own beauty, its own solemnity and majesty. From the corner of the Via del Proconsolo the dome towers up and engulfs it, the long nave disappears so that it might be what Bramante dreamed of, a Greek cross under a dome.

As for the Campanile, the Shepherd's Tower, as Ruskin called it — it is not of this world. It is covered like the cathedral with rosy, green and white marble and is decorated with reliefs by Andrea Pisano and Luca della Robbia.

Perhaps the loveliest church in Florence is the Dominican Santa Maria Novella which Michelangelo called his bride. It is the only church in the city which has a certain mystery. The beautiful façade is of the Renaissance and is the work of Leon Battista Alberti. Within are numerous frescoes and works of art of the first importance, among them a fresco by Masaccio, an altarpiece by Orcagna (almost his only painting) and chapels decorated by Filippi no Lippi, Ghirlandaio and Nardo and Jacopo di Cione. Within the convent beside it are two cloisters and the famous Spanish Chapel frescoed by Andrea da Firenze.

The Franciscan church of Santa Croce, on the other side of the city, is not less rich in works of art. Among its treasures are the relief of the Annunciation by Donatello, tombs by Desiderio da Settignano and Bernardo Rossellino and the famous frescoes by Giotto of the Life of Saint Francis and the lives of the two Saints John.

In San Lorenzo, as in Santo Spirito, we have a Renaissance church, its façade uncovered with marble, largely dedicated to the Medici and with the two chapels of the Medici house attached to it. It is built with the lovely grey stone of Fiesole in pure Renaissance style and contains works by Verrocchio, Desiderio da Settignano, Luca della Robbia and Donatello. The tombs of the Medici by Michelangelo are of course among the most famous works of art in Florence.

The church of Orsanmichele is surrounded with statues by the most famous Florentine masters, among them Donatello (St George), Ghiberti (St Matthew and others), Verrocchio (Doubting Thomas). Within is a noble altarpiece by Bernardo Daddi.

The Loggias of Florence are among the loveliest things in the City of the Flower. Perhaps after all the most beautiful is the Loggia di San Paolo in Piazza Santa Maria Novella, the most famous the Loggia dei Lanzi in Piazza Signoria and the largest the Loggia degli Innocenti in Piazza SS. Annunziata. The magnificent Loggias Vasari built under the Uffizi cannot have too much of our admiration.

The Palaces of Florence, so various and so charming, would make a special study. The Palazzo Riccardi originally built by Michelozzo is known to everyone, for it was the Medici Palace and contains the famous frescoes of Benozzo Gozzoli. The Palazzo Pitti will not be passed by, nor the Bargello, for they contain masterpiece after masterpiece of Florentine sculpture. Among the chief treasures of the Bargello is its own courtyard with a noble flight of steps.

The storied Palazzo Vecchio too, with its famous Sala del Cinquecento, recalling the tragic story of Savonarola, cannot be overlooked, for it is the centre of the civil life of the city. But there are many other palaces and medieval and Renaissance buildings which call for attention and admiration besides the outstanding Strozzi and Antinori Palaces, such as the Palazzo Guadagni by Cronaca.

As for the environs of Florence, they are enchanting, the hillsides covered with olive gardens and *poderi* and scattered with beautiful villas. The most famous of the small towns and villages among the hills is Fiesole, towering on its hilltop over the City of the Flower; its gaunt Cathedral possesses a fine tomb by its son Mino da Fiesole, and under its precipitous hill stands the ancient Badia covered with marble like San Miniato and the Baptistery of Florence. Here too, is the famous Villa Medici. Close by is the church and convent of San Domenico where Fra Angelico lived and painted. The walls and ruins of the Etruscan city lie behind the Cathedral with views stretching away to Monte Senario and the central Apennines; while on the other side, seen from San Francesco or the terrace of the Albergo Aurora, one looks over Florence to where the tawny Arno snakes its way to the Pass of Signa and then beyond to far Volterra and the Sanese; the Jewel of Europe with its mighty dome, its towers, and belfries at our feet.

Introduction

CELUI qui contemple Florence de San Miniato ou de la Piazzale qu'elle domine, par une belle soirée d'été, voit luire les reflets de la plus belle ville du monde, ceinturée par les eaux de l'Arno, aux lents tournoiements couleur d'ors pâles, bordée de collines où les villas s'étagent parmi les oliveraies et, comme détachée de la ville, la grande cathédrale sous le dôme de Brunelleschi, le campanile de Giotto, tel une fleur, le cou de dragon du Vieux Palais, le dôme de la chapelle Médicis, la tour pointue de Santa Maria Novella, la lance à houppe de Santa Croce.

Cette même impression, à la fois noble et pittoresque, nous l'éprouvons encore en nous promenant dans ce qu'il reste de Lungarno Acciaioli, entre le Vieux Pont, avec ses petites échoppes de bijoutiers, et le Pont Santa Trinita reconstruit suivant les plans d'Ammannati. Les Allemands l'ont beaucoup abîmé dans leur retraîte de 1944; tous les ponts sautèrent à l'exception du Ponte Vecchio, le Lungarno Acciaioli fut cruellement touché et les maisons de l'autre rive du fleuve détruites. Cette partie de la ville située de part et d'autre des deux ponts et les antiques maisons de la rive méridionale de l'Arno formaient le visage traditionnel de Florence, celui que les visiteurs emportaient avec eux depuis des siècles, de sorte qu'au nom de Florence, à l'étranger, c'était l'image qui revenait à chacun en mémoire.

Mais Florence est restée le joyau de l'Europe, avec ses rues aux tours médiévales encore intactes, ses édifices monastiques et ses églises des XIIIème et XIVème siècles, sa grande cathédrale de marbre rose, vert et blanc, sous le dôme le plus imposant et sans doute le plus beau du monde et, à ses côtés, la tour de Giotto, l'un des plus hauts sommets de l'architecture.

Et puis Florence est le berceau de la Renaissance, qui a rempli les églises et les palais d'une splendeur qui nous appartient toujours et que le temps a tendrement préservée.

Quittons ces sombres rues d'autrefois, comme la Condotta, pour les places aux gracieuses loggias de style Renaissance; voici une église à l'exquise façade; une fontaine toute frémissante; l'entrée d'un jardin orné de cascades et de plate-bandes fleuries. Voici la fameuse Loggia dei Lanzi, peuplée d'œuvres d'art immortelles, des statues de Donatello, de Michel-Ange, de Cellini, de Jean de Bologne. Pénétrons derrière l'immense palais Pitti dans ce jardin Renaissance, lui aussi peuplé de statues, œuvre d'un grand sculpteur. Comme ces jardins, la ville a un charme, une grâce qui ne sont qu'à elles. Contemplons quelques-uns de ses plus fameux édifices.

La double place du Dôme et de Saint Jean contient le Baptistère, la cathédrale et la tour de Giotto. Le Baptistère, édifice octogonal recouvert de marbre vert sombre et blanc, est l'un des plus vieux bâtiments de Florence; il remonte au XIème siècle. Les enfants de Florence y sont encore baptisés, sur les mêmes fonts que Dante et avant lui Cacciaguida, sculptés par Donatello et par Ghiberti. C'est le Baptistère que Dante en exil se rappelait avec tendresse. Ses trois portes de bronze, avec leurs bas-reliefs dorés, sont l'œuvre d'Andrea Pisano et de Ghiberti. Celle qui fait face au Dôme était aux yeux de Michel-Ange, digne du paradis. Elle relève de l'art du peintre plus que de celui du sculpteur. Mais la porte d'Andrea Pisano ne le lui cède en rien. A l'intérieur, la coupole octogonale est ornée de mosaïques, les seules de Florence; et l'exquis damier de marbre représentant le Zodiaque n'a son pareil qu'à San Miniato al Monte. Au-dessus des portes s'élèvent des groupes de bronze de Vincenzo Danti et de Giovanni Rustici, et celui de marbre de Sansovino, le Baptême.

Nous devons le Dôme au génie de trois hommes, Arnolfo di Cambio, Francesco Talenti et Filippo Brunelleschi, et à la vanité des Florentins. C'est, avec ses Tribunes caverneuses, l'une de plus grandes œuvres d'art du monde. Il a une beauté, une solennité, une majesté qui n'appartiennent qu'à lui. Du coin de la Via del Proconsolo, le dôme se dresse d'une seule masse, la longue nef s'efface et l'on ne voit plus que l'image dont rêvait Bramante, une croix grecque sous un dôme.

Quant au Campanile, la tour du Berger, comme l'appelait Ruskin, il est d'un autre monde. Recouvert, comme la cathédrale, de marbre rose, vert et blanc, il est orné de bas-reliefs d'Andrea Pisano et Luca della Robbia.

La plus charmante église de Florence est peut-être l'église dominicaine Santa Maria Novella, que Michel-Ange appelait sa fiancée. C'est la seule église de la ville qui ait un certain mystère. Sa belle façade, de style Renaissance, est l'œuvre de Léon Battista Alberti. Elle renferme de nombreuses fresques et œuvres d'art de grand intérêt, dont une fresque de Masaccio, un rétable d'Orcagna (l'une de ses seules peintures), et des chapelles décorées par Filippino Lippi, Ghirlandaio, Nardo et Jacopo di Cione. Dans le couvent voisin se trouvent deux cloîtres et la fameuse chapelle espagnole ornée de fresques d'Andrea da Firenze.

L'église franciscaine de Santa Croce, à l'autre bout de la ville, n'est pas moins riche de trésors d'art. Elle renferme le bas-relief de l'Annonciation de Donatello, des tombes de Desiderio da Settignano et Bernardo Rossellino, et les fameuses fresques de la vie de Saint François d'Assises et des deux Saint Jean, par Giotto.

Avec San Lorenzo, comme au Saint-Esprit, nous avons une église de la Renaissance, dont la façade — sans marbre cette fois — est essentiellement dédiée aux Médicis. Les deux chapelles de la famille Médicis y sont attenantes. San Lorenzo est bâtie dans la jolie pierre grise de Fiesole, dans le pur style Renaissance, et contient des œuvres de Verrocchio, Desiderio da Settignano, Luca della Robbia et Donatello. Les tombes des Médicis, ornées par Michel-Ange sont parmi les plus célèbres œuvres d'art de Florence.

L'église d'Orsanmichele est entourée de statues des plus fameux maîtres florentins, notamment Donatello (St Georges), Ghiberti (St Mathieu et d'autres), Verrocchio (St Thomas). Le noble rétable est l'œuvre de Bernardo Daddi.

Les loggias de Florence sont parmi les plus beaux ornements de la ville des Fleurs. La plus charmante est peut-être la loggia di San Paolo sur la Piazza Santa Maria Novella, la plus célèbre la Loggia dei Lanzi sur la Piazza della Signoria et la plus grande la Loggia dei Innocenti, Piazza SS. Annunziata. Les magnifiques loggias Vasari, sous les Offices, ne seront jamais assez admirées.

Les palais de Florence, si variés et si charmants, mériteraient à eux seuls une étude. Le palais Riccardi, construit par Michelozzo, est bien connu, car il fut la demeure des Médicis et il contient les fameuses fresques de Benozzo Gozzoli. Le palais Pitti, le Bargello, sont des splendeurs. Ils contiennent maints chefs d'œuvre de la sculpture florentine. Parmi les trésors du Bargello, notons le bel escalier de la cour d'entrée.

Le grand Palazzo Vecchio, avec sa fameuse Sala di Cinquecento évoquant le tragique souvenir de Savonarole, est le centre de la vie municipale. Mais il y a encore bien d'autres admirables palais ou édifices du Moyen-Age et de la Renaissance, à côté des fameux palais Strozzi et Antinori, comme le palais Guadagni, œuvre de Cronaca, que l'on verra plus loin.

Quant aux environs de Florence, ils sont un enchantement, avec leurs collines plantées de jardins et d'oliveraies et parsemées de superbes villas. Le plus célèbre des petits villages des alentours est Fiesole, qui domine la colline et la cité des Fleurs; sa cathédrale efflanquée, renferme une belle tombe de Mino de Fiesole, et sous la colline escarpée se trouve la vieille église Badia, recouverte de marbre comme San Miniato et le Baptistère de Florence. Ici aussi se trouve la fameuse villa Médicis. Non loin sont l'église et le couvent Saint Dominique, où Fra Angelico vécut et travailla. Les murs et les ruines de la cité étrusque se retrouvent derrière la cathédrale, d'où l'on embrasse toute la région jusqu'au mont Sénario et à la chaîne centrale des Appenins; de l'autre côté, de San Francesco ou de la terrasse de l'auberge Aurora, c'est Florence que l'on domine, les méandres de l'Arno jusqu'au col de Signa et au-delà, vers Volterra et les Sanese; à nos pieds, le joyau de l'Europe, son puissant dôme, ses tours et ses beffrois.

Einleitung

WENN man an einem freundlichen Abend von der Basilika San Miniato oder der Piazzale darunter über Florenz hinausschaut, strahlt einem die schönste Stadt entgegen, die die Welt ihr eigen nennt. Dort liegt sie, umgürtet von dem langsam dahintreibenden, weißgolden schimmernden Arno und umgeben von olivenreichen, villenbestandenen Bergen, und über sie hinweg ragen der große Dom mit Brunelleschis Kuppel, Giottos blumengleicher Campanile, der Drachenhals des Palazzo Vecchio, die Kuppel der Medicikapelle, der in einer Spitze endende solide Turm von Santa Maria Novella und der speerartige Turm von Santa Croce.

Selbst jetzt, wenn man den böse zerstörten Lungarno Acciaioli vom Ponte Vecchio mit seinen kleinen Juwelierläden bis zu dem nach Ammannatis Entwürfen wiederhergestellten Ponte Santa Trinita entlangwandert, überschattet der nobel malerische Eindruck der Stadt die massiven Zerstörungen, die der deutsche Rückzug 1944 mit sich brachte. Nicht nur der Lungarno Acciaioli wurde damals beschädigt, sondern auch die Wohnviertel am anderen Ufer des Arno, und die zurückweichenden Truppen sprengten alle Brücken mit Ausnahme des Ponte Vecchio. Die Stadtteile an beiden Stromufern zwischen Ponte Vecchio und Ponte Santa Trinita mit den von den Jahrhunderten arg mitgenommenen Häusern, die aus dem Strom am Südufer aufsteigen, stellen das traditionelle Bild von Florenz dar, das seit Menschengedenken alle Besucher der Stadt mit nach Hause genommen haben, und wenn in fernen Landen der Name Florenz genannt wird, dann ist es diese Ansicht der Stadt, die einem ins Gedächtnis zurückkommt.

Florenz ist immer noch das „Kleinod Europas", mit seinen größtenteils unversehrten mittelalterlichen, türmereichen Straßen, seinen Klöstern und Kirchen aus dem dreizehnten und vierzehnten Jahrhundert, seinem großen Dom voller rosenfarbenem, grünem und weißem Marmor unter der mächtigsten und vielleicht schönsten Kuppel der Welt und mit Giottos Turm als nächsten Nachbar — etwas, das die Grenzen aller Architektur zu sprengen scheint. Florenz war die Wiege und das Heim der Renaissance, die Kirchen und Paläste mit einer Schönheit füllte, von der wir noch heute erschüttert sind.

Man kommt aus dem dämmerigen Hintergrund grimmiger alter Straßen wie zum Beispiel der Condotta auf die Piazze mit ihren graziösen Renaissanceloggien hinaus und findet hier eine Kirche mit wunderbarer Fassade und dort einen sprühenden Brunnen. Oder man steht plötzlich im Eingang zu einem Innenhof, der mit Wasserfällen geschmückt und ganzen Galerien von Blumen übersät ist, oder man findet sich auf einmal in der berühmten Loggia dei Lanzi mit ihren unsterblichen Kunstwerken, den Statuen von Donatello, Michelangelo, Cellini und Giovanni da Bologna. Und wenn man Glück hat, dringt man hinter dem riesengroßen Palazzo Pitti in einen richtigen Renaissancegarten ein, der wie die Loggia dei Lanzi voller Statuen ist. Die Stadt hat einen ganz eigenen Reiz und eine ganz eigene Harmonie. Sehen wir uns einige ihrer berühmten Baulichkeiten näher an!

Der Doppelplatz der Piazza di San Giovanni und del Duomo enthält die Taufkapelle, den Dom und Giottos Turm. Die Taufkapelle, ein achteckiges Gebäude mit dunkelgrünem und weißem Marmor, ist eine der ältesten Kunstbauten in Florenz und stammt aus dem elften Jahrhundert. Jedes Kind, das in Florenz zur Welt kommt, wird noch hier zur Taufe gebracht, hier, wo Dante getauft wurde und vor ihm Cacciaguida, hier, wo Donatello und Ghiberti gewirkt haben, hier in diesem Hause, das Dante in der Verbannung sich so voll wehmütiger Liebe ins Gedächtnis zurückrief. Die drei Bronzetore der Kapelle mit ihren nun wie Gold erscheinenden Reliefarbeiten sind von Andrea Pisano und Ghiberti geschaffen, und Michelangelo erklärte, daß eines der Tore, jenes gerade gegenüber dem Dom, des Paradieses würdig sei. Das erste der anderen beiden Tore von Pisano steht ihm sicherlich um nichts nach. Das achteckige Kuppelgewölbe innerhalb der Kapelle ist von Mosaik bedeckt, das es sonst in Florenz nicht gibt, und der wunderbare Boden aus marmornem Mosaik stellt den Tierkreis vor und hat nirgendwo seinesgleichen mit Ausnahme von San Miniato al Monte. Oberhalb der Pforten sind Bildhauerarbeiten aus Bronze von Vincenzo Danti und Giovanni Rustici zu sehen und eine andere Gruppe aus Marmor, die Taufe darstellend, von Sansovino.

Wir verdanken den Dom dem Genie dreier Männer, Arnolfo di Cambio, Francesco Talenti und Filippo Brunelleschi, und der Eitelkeit der Florentiner. Mit seinen weitläufigen Galerien ist er eines der größten Werke von Menschenhand. Er besitzt eine Schönheit, eine Feierlichkeit und eine Majestät, der nichts Vergleichbares zur Seite gestellt werden kann. Von der Ecke der Via del Proconsolo gesehen ragt die Kuppel so mächtig auf, daß das lange Schiff unter ihr verschwindet und wirklich das zu werden scheint, was Bramante erträumte: ein gleicharmiges Kreuz unter einer Kuppel.

Was den Campanile angeht, den Glockenturm, so er ist etwas überirdisch Ergreifendes. Wie der Dom ist er voller rosenfarbenem, grünem und weißem Marmor und mit Reliefs von Andrea Pisano und Luca della Robbia geschmückt.

Vielleicht die schönste Kirche von Florenz ist die Dominikanerkirche von Santa Maria Novella, die Michelangelo seine Braut nannte. Es ist die einzige Kirche in der ganzen Stadt, der etwas Geheimnisvolles anhaftet. Die wundervolle Vorderseite aus der Renaissance ist das Werk von Leon Battista Alberti, und innerhalb der Kirche befinden sich eine Menge Fresken und Kunstwerke von größter Bedeutung, unter ihnen ein Fresko von Masaccio, ein Altarbild von Orcagna — fast sein enziges bekanntes Gemälde — sowie von Filippino Lippi, Ghirlandaio, Nardo und Jacopo di Cione ausgeschmückte Seitenkapellen. Im Kloster nebenan gibt es zwei Kreuzgänge und die berühmte Spanische Kapelle mit Fresken von Andrea da Firenze.

Die Franziskanerkirche von Santa Croce auf der anderen Seite der Stadt birgt ebenfalls eine Fülle von Kunstwerken. Unter ihren Schätzen finden sich das Relief von Mariä Verkündigung von Donatello, Grabdenkmäler von Desiderio da Settignano und Bernardo Rossellino und Giottos berühmte Fresken vom Leben des heiligen Franziskus und der beiden Heiligen Johannes.

Wie Santo Spirito ist auch San Lorenzo eine hauptsächlich den Medici gewidmete Renaissancekirche, die innerhalb ihrer Mauern zwei Hauskapellen der Familie Medici umfaßt. Die Kirche ist in reinstem Renaissancestil aus dem wundervollen grauen Stein gebaut, der von Fiesole kommt, und enthält Werke von Verrocchio, Desiderio da Settignano, Luca della Robbia und Donatello. Die Grabmäler der Medici von Michelangelo gehören zu den gepriesensten Kunstschätzen von Florenz.

Die Kirche Orsanmichele liegt innerhalb eines Kranzes von Statuen der berühmtesten Florentiner Meister, unter ihnen Donatello mit seiner Statue des heiligen Georg, Ghiberti mit seiner Matthäusstatue und Verrocchio mit einer Figur des ungläubigen Thomas. Außerdem besitzt sie ein edles Altargemälde von Bernardo Daddi.

Zum Schönsten, was Florenz zu bieten hat, gehören zweifellos seine Loggien, die Loggia di San Paolo in der Piazza Santa Maria Novella an der Spitze als die vielleicht formvollendetste, die Loggia dei Lanzi auf der Piazza della Signoria als die berühmteste und die Loggia degli Innocenti auf der Piazza SS. Annunziata als die größte. Ebensoviel Bewunderung verdienen Vasaris wundervolle Loggien unterhalb der Uffizien.

Die Paläste von Florenz in ihrer Eigenart und Vollendung beanspruchen eigentlich ein Buch für sich. Alle Welt kennt den von Michelozzo gebauten Palazzo Riccardi, denn er war der Palast der Medici und enthält die berühmten Fresken von Benozzo Gozzoli. Und man übergehe ja nicht den Palazzo Pitti oder den Palazzo Bargello, die zahlreiche Meisterwerke Florentiner Bildhauerei beherbergen; der Palazzo Bargello besitzt außerdem einen herrlichen Hof mit einer würdevoll geschwungenen Freitreppe. Der vielstöckige Palazzo Vecchio mit seiner berühmten Sala del Cinquecento, der an das tragische Zwischenspiel Savonarolas erinnert, verlangt ebenfalls Beachtung, denn er ist der Verwaltungsmittelpunkt der Stadt. Aber wenn man all die vielen Paläste und anderen Baulichkeiten aus dem Mittelalter und der Renaissance, denen man Aufmerksamkeit schenken müßte, aufzählen wollte, dann würde die Liste viel zu lang. Genannt seien nur noch als besonders hervorragend die Paläste der Strozzi und Antinori und der von Cronaca erbaute Palazzo Guadagni, der hier abgebildet ist.

Die Umgebung von Florenz mit den von Olivenhainen, *poderi* und schönen Villen übersäten Berghängen ist entzückend. Hier liegt das berühmte Städtchen Fiesole, das von seinem Berggipfel herunter die Arnostadt überragt. Seine schmucklose Kathedrale besitzt ein beachtliches Grabdenkmal von Mino da Fiesole, einem Sohn der Stadt, und unter dem schroffen Hang seines Berges steht die altehrwürdige Badia, reich an Marmor wie San Miniato und die Taufkapelle beim Dom. Die berühmte Villa Medici liegt hier, und ganz in der Nähe befinden sich die Kirche und das Kloster San Domenico, wo Fra Angelico lebte und malte. Die Mauern und Ruinen der alten Etruskersiedlung ruhen hinter der Kathedrale, von der ein weiter Blick sich öffnet zum Monte Senario und dem Zug der Apenninen. Auf der anderen Seite, von San Francesco aus oder der Terrasse des Albergo Aurora, liegt ganz Florenz zu unseren Füßen, bis dahin, wo der goldenfarbene Arno sich zum Paß von Signa und weiter nach dem fernen Volterra zu hinschlängelt, ganz Florenz, das Kleinod Europas.

Index

COLOUR PLATES

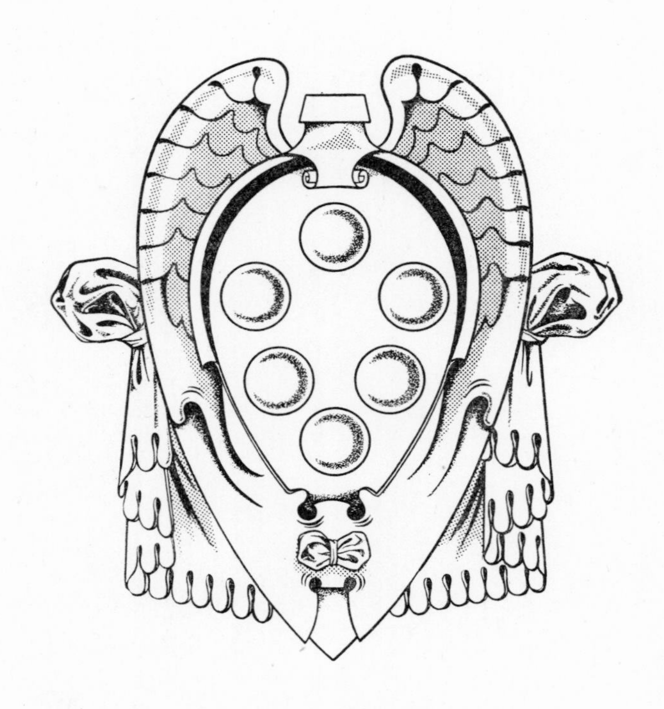

THE ARMS OF THE MEDICI FAMILY
LES ARMES DE LA FAMILLE MEDICIS
WAPPEN DER FAMILIE DER MEDICI

View of Palazzo Vecchio

Santa Maria Novella

LANDMARKS OF FLORENCE

Monuments de Florence ***Wahrzeichen von Florenz***

Palazzo Vecchio (Old Palace), rising above the tiled roofs of Florence
Le Palazzo Vecchio (Vieux Palais), dominant les toits à tuiles de Florence
Der Palazzo Vecchio, hochragend über den Ziegeldächern von Florenz

Palazzo Vecchio, ancient seat of government: (foreground), the Piazza della Signoria, scene of Savonarola's execution
Le Palazzo Vecchio, ancien siège du Gouvernement. Au premier-plan, la Piazza della Signoria, qui fut le théâtre de l'exécution de Savonarole
Palazzo Vecchio, einstmals Sitz der Regierung; im Vordergrund die Piazza della Signoria, der Schauplatz von Savonarolas Hinrichtung

Palazzo Vecchio, from Via Vinegia

Le Palazzo Vecchio, vu de la Via Vinegia

Palazzo Vecchio,
von der Via Vinegia aus gesehen

Palazzo Vecchio, from Via dei Neri

Le Palazzo Vecchio, vu de la Via dei Neri

Palazzo Vecchio,
von der Via dei Neri aus gesehen

Two wings of the Uffizi Palace (foreground), home of one of the world's great art collections
Au premier-plan, deux ailes du Palais des Offices, qui abrite l'une des plus grandes collections d'art du monde
Die beiden Flügel der Uffizien, Sitz einer der größten Kunstsammlungen der Welt

Statues in the Piazza della Signoria; looking towards the Uffizi Gallery
Statues dans la Piazza della Signoria. Vue sur la Galerie des Offices
Statuen auf der Piazza della Signoria, Blick auf die Uffizien

Fountain in the Piazza della Signoria in front of the Palazzo Vecchio
La fontaine de la Piazza della Signoria, en face du Palazzo Vecchio
Brunnen auf der Piazza della Signoria vor dem Palazzo Vecchio

Two statues, by Vincenzo de' Rossi (left), by Bandinelli (right). Colonnade of Uffizi in background
Deux statues, de Vincenzo de' Rossi (à gauche), et de Bandinelli (à droite). A l'arrière-plan, la colonnade des Offices
Zwei Halbstatuen von Vincenzo de' Rossi (links) und Bandinelli (rechts); im Hintergrund der Säulengang der Uffizien

Fountain in the Piazza della Signoria: detail by Giambologna
Fontaine de la Piazza della Signoria. Détail, oeuvre de Giambologna
Brunnen auf der Piazza della Signoria: Detail von Giambologna

'Cupid with Dolphin' by Verrocchio, courtyard of Palazzo Vecchio

«Cupidon et le Dauphin» par Verrocchio, dans le jardin du Palazzo Vecchio

„Cupido mit Delphin" von Verrocchio, Hof des Palazzo Vecchio

'Judith and Holofernes' by Donatello, Piazza della Signoria

«Judith et Holopherne», par Donatello, Piazza della Signoria

„Judith und Holofernes" von Donatello, Piazza della Signoria

Michelangelo's 'David' (copy) in the Piazza della Signoria. The original statue stands in the Galleria dell'Accademia

Le «David» de Michel-Ange (copie) sur la Piazza della Signoria. L'original est à la Galleria dell'Accademia

Michelangelos „David" (eine Kopie) auf der Piazza della Signoria. Das Original steht in der Galleria dell'Accademia

'Perseus' by Benvenuto Cellini, in the Loggia dei Lanzi, Piazza della Signoria

«Persée», par Benvenuto Cellini, dans la Loggia dei Lanzi, Piazza della Signoria

„Perseus“ von Benvenuto Cellini in der Loggia dei Lanzi, Piazza della Signoria

Palazzo Vecchio by night
Le Palazzo Vecchio la nuit
Palazzo Vecchio bei Nacht

View from Viale Michelangelo: between the trees can be seen the dome of the Cathedral and Giotto's Campanile
Vue prise de la Viale Michelangelo: on aperçoit entre les arbres le dôme de la cathédrale et le Campanile de Giotto
Blick vom Viale Michelangelo: zwischen den Bäumen die Kuppel des Doms und der Glockenturm von Giotto

View from the Belvedere Fortress
Vue prise de la Forteresse du Belvédère
Blick von der Festung Belvedere

Towers of the Badia Church (left), a 10th-century Benedictine church and (right) the Bargello or Mayor's Palace
Les tours de l'église Badia (à gauche), église bénédictine du Xème siècle, et du Bargello, ou palais municipal (à droite)
Die Türme der Badia (links), einer Benediktinerkirche aus dem 10. Jahrhundert, und (rechts) des Bargello, des ehemaligen Bürgermeisterpalasts

Medici Chapels: façade of the New Sacristy, design by Michelangelo.
Here are tombs of members of the Medici family

Les chapelles Médicis: Façade de la nouvelle sacristie, oeuvre de Michel-Ange.
C'est là que sont enterrés les membres de la familie Médicis

Medici-Kapellen: Fassade der Neuen Sakristei, Entwurf von Michelangelo.
Hier liegen Mitglieder der Familie der Medici begraben

Piazza del Duomo; (left) the Baptistery, (centre) the façade of the Cathedral (Santa Maria del Fiore)
Place du Dôme; à gauche, le Baptistère, à droite, la façade de la Cathédrale (Sainte Marie des Fleurs)
Piazza del Duomo; links das Baptisterium, in der Mitte die Fassade des Doms (Santa Maria del Fiore)

The roofs of Florence
Les toits de Florence
Dächer von Florenz

The cupola of the Cathedral, designed by Brunelleschi
La coupole de la Cathédrale, oeuvre de Brunelleschi
Die Kuppel des Domes, entworfen von Brunelleschi

Giotto's Campanile, with details of bas-reliefs by Andrea Pisano
Le campanile de Giotto, avec des détails de bas-reliefs par Andrea Pisano
Der von Giotto erbaute Glockenturm mit Einzelheiten der Basreliefs von Andrea Pisano

The Baptistery, which is dedicated to St John the Baptist, patron saint of Florence: here Dante was baptised
Le Baptistère, dédié à Saint Jean Baptiste, saint patron de Florence; c'est ici que Dante fut baptisé
Das Baptisterium, das Johannes dem Täufer, dem Schutzheiligen von Florenz, geweiht ist. Dante wurde hier getauft

Details from the Baptistery: above, a door by Lorenzo Ghiberti, and below, two bas-reliefs by Andrea Pisano
Détails du Baptistère: en haut, une porte de Lorenzo Ghiberti; en bas, deux bas-reliefs d'Andrea Pisano
Einzelheiten aus dem Baptisterium. Oben: eine Tür von Lorenzo Ghiberti, unten: zwei Basreliefs von Andrea Pisano

'Capture of Jericho' by Ghiberti, east door of Baptistery
«La prise de Jéricho», par Ghiberti, porte est du Baptistère
„Die Einnahme von Jericho" von Ghiberti, Osttor des Baptisteriums

ACROSS THE ARNO

Sur les bords de l'Arno

Quer über den Arno

'Summer' by Caccini, on the Ponte Santa Trinita
«L'été» par Caccini, sur le Ponte Santa Trinita
„Sommer" von Caccini, auf dem Ponte Santa Trinita

A view of the Ponte Santa Trinita, its three wide-curving arches mirrored in the classic calm of the Arno
Vue du Ponte Santa Trinita, dont les trois larges arches se reflètent dans la pureté classique des eaux de l'Arno
Ein Blick auf den Ponte Santa Trinita, dessen drei weit ausladende Bogen sich in den klassisch ruhigen Wassern des Arno spiegeln

Ponte Vecchio (Old Bridge), famous for the shops which line it on both sides
Le Ponte Vecchio (Vieux Pont), célèbre pour les boutiques qui le bordent de chaque côté
Ponte Vecchio, berühmt wegen der Läden, die ihn zu beiden Seiten säumen

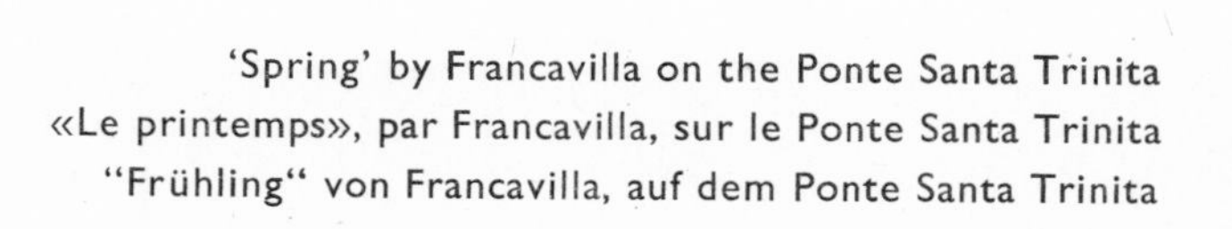

'Spring' by Francavilla on the Ponte Santa Trinita
«Le printemps», par Francavilla, sur le Ponte Santa Trinita
"Frühling" von Francavilla, auf dem Ponte Santa Trinita

View of Oltr'arno
Vue de l'Oltr'arno
Blick auf Oltr'arno

Riverside villas
Villas des bords de l'Arno
Villen am Fluß

MINISTERO

Florence reflected
Reflets de Florence
Florenz im Spiegelbild

Lungarno Acciaioli, overlooking the river
Dominant la rivière, Lungarno Acciaioli
Lungarno Acciaioli, Uferstraße mit Blick über den Fluß

View from San Miniato
Vue prise de San Miniato
Blick von San Miniato

Les jardins Boboli *Die Gärten der Boboli*

BOBOLI GARDENS

Boboli Gardens
Les jardins Boboli
Gärten der Boboli

Boboli Gardens
Les jardins Boboli
Gärten der Boboli

Boboli Gardens
Les jardins Boboli
Gärten der Boboli

Palazzo Pitti: once a residence of the Medicis, today it houses important art collections
Palazzo Pitti: Autrefois résidence des Médicis, il abrite aujourd'hui importantes collections d'art
Palazzo Pitti: einst Residenz der Medici, heute Sitz der bedeutendsten Kunstsammlungen

Courtyard and fountain, Palazzo Pitti
Jardin et fontaine, Palazzo Pitti
Hof und Springbrunnen, Palazzo Pitti

Fountain in the Boboli Gardens
Fontaine aux jardins de Boboli
Springbrunnen, Gärten der Boboli

La vie à Florence *Das Leben in Florenz*

THE LIFE OF FLORENCE

PIAZZA
S. PIER MAGGIORE
POLLERIA
POLLERIA "la Moderna"

Loggia del Porcellino

Market of San Piero
Marché San Piero
Marktplatz von San Piero

Piazza Santo Spirito

Souvenir sellers in the Piazza del Duomo
Marchands de souvenirs sur la Place du Dôme
Andenkenverkäufer auf der Piazza del Duomo

Via de' Bentaccordi

Via del Parione

BANCA TOSCANA
CEAT
PNEUMATICI
CEAT
PNEUMATICI
AGIP
CARPANO
MONZA 1957
RABARBARO
S.PELLEGRINO

Gifts from the citizens of Florence at Epiphany
Offrande des citoyens de Florence à l'Epiphanie
Geschenke der Einwohner von Florenz am Fest der Heiligen Drei Könige

l'Unità
RISPOSTA NEGATIVA
L'ATTENTATO

Loggia dei Lanzi

The Rione of San Nicolo
Le Rione de San Niccolo
Das Viertel um San Niccolo

Loggia dei Lanzi

Via dei Sapiti

Via delle Brache

Piazza Santo Spirito

Volta dei Tintori

The Straw Market
Le marché aux foins
Stroh- und Bastmarkt

Piazza Santa Trinita: a statue of Justice surmounts the marble column
Piazza Santa Trinita: une statue de la Justice surmonte la colonne de marbre
Piazza Santa Trinita: eine Statue der Gerechtigkeit überragt die Marmorsäule

MAGNANI
MAGNANI
WAGONS-LITS COOK
WAGONS-LITS COOK
WAGONS-LITS COOK

Medieval houses of the Peruzzi
Maisons moyenâgeuses de Peruzzi
Mittelalterliche Gebäude der Peruzzi

Detail, Palazzo Guadagni
Détail, Palazzo Guadagni
Detail, Palazzo Guadagni

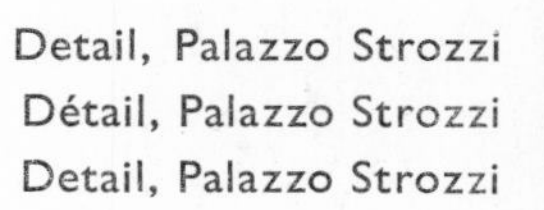

Detail, Palazzo Strozzi
Détail, Palazzo Strozzi
Detail, Palazzo Strozzi

ROMEO

By-way
Un chemin
Stille Gasse

Market day in the Piazza della Signoria
Jour de marché sur la Piazza della Signoria
Markttag auf der Piazza della Signoria

VIA
DELL'ISOLA
DELLE STINCHE

Piazza San Simone

Via dell'Isola delle Stinche

The church beyond the tiled roofs is Santa Maria Novella
L'église qu'on aperçoit au delà des toits de tuiles est Santa Maria Novella
Über den Ziegeldächern: die Kirche Santa Maria Novella

CHURCHES OF FLORENCE

Les églises de Florence ***Die Kirchen von Florenz***

Ognissanti, a Franciscan church founded in the 13th century. (Left) the bell-tower: (above) detail of doorway by Buglioni: (right) the façade

Ognissanti, église franciscaine fondée au XIIIème siècle: à gauche, le clocher; en haut, détail du porche par Buglioni: à droite, la façade

Ognissanti, eine im 13. Jahrhundert gegründete Franziskanerkirche. Links der Glockenturm; oben Einzelheit einer Pforte von Buglioni; rechts die Fassade

DIVIS OMNIBUS

San Francesco, Fiesole

The bells of San Francesco
Les cloches de San Francesco
Die Glocken von San Francesco

Santa Maria Novella

Interior of Santa Maria Novella: among other notable works the church has a splendid fresco by Masaccio, 'The Trinity'
Intérieur de Santa Maria Novella: cette église renferme notamment une splendide fresque de Masaccio, «La Trinité»
Innenraum von Santa Maria Novella: unter anderem besitzt die Kirche ein herrliches Dreifaltigkeits-Fresko von Masaccio

Bell-tower of the Badia
Clocher de la Badia
Glockenturm der Badia

Bell-tower of Santa Croce
Clocher de Santa Croce
Glockenturm von Santa Croce

Santo Spirito church, designed by Brunelleschi. The interior is rich in works by the great masters
L'église du Saint-Esprit, construite par Brunelleschi. L'intérieur contient de nombreuses oeuvres de grands maîtres
Santo Spirito, nach den Plänen von Brunelleschi. Das Innere der Kirche ist reich an Werken großer Meister

Church of Santa Trinita. The present building goes back to the 13th century; the façade is of the 16th
L'église de la Sainte Trinité. L'édifice actuel remonte au XIIIème siècle; la façade est du XVIème
Santa Trinita; das Gebäude stammt aus dem 13. Jahrhundert, die Fassade aus dem 16. Jahrhundert

Cloister of San Francesco, Fiesole
Cloître de San Francesco, Fiesole
Kreuzgang von San Francesco, Fiesole

Church of San Lorenzo, designed by Brunelleschi, with contributions by Michelangelo and Donatello
L'église San Lorenzo, construite par Brunelleschi, avec des contributions de Michel-Ange et de Donatello
San Lorenzo, nach den Plänen von Brunelleschi, mit Beiträgen von Michelangelo und Donatello

FI-4

Santa Croce, interior. Here are the tombs of Galileo, Michelangelo and Rossini. The roof of bare wooden rafters reflects the Franciscan ideal of poverty

Intérieur de Santa Croce. Ici reposent Galilée, Michel-Ange et Rossini. Le toit aux chevrons de bois est d'une conception conformée à l'idée franciscaine de pauvreté

Santa Croce, Innenraum. Hier liegen Galilei, Michelangelo und Rossini begraben. Die Decke mit den eingezogenen Holzbalken entsprach den franziskanischen Vorstellungen von Armut

Cloister of San Lorenzo
Cloître de San Lorenzo
Kreuzgang von San Lorenzo

Cloister of SS. Annunziata
Cloître de SS. Annunziata
Kreuzgang von SS. Annunziata

San Miniato: the striking façade is panelled with green and white marble
San Miniato: la belle façade que l'on voit est recouverte de marbre vert et blanc
San Miniato: die ungewöhnliche Fassade ist mit grünem und weißem Marmor getäfelt

San Miniato: details of the interior
San Miniato: détails de l'intérieur
San Miniato: Einzelheiten, Innenraum

Church of San Stefano, in which Boccaccio is said to have read and commented upon Dante's 'Divine Comedy'

L'église San Stefano, où, dit-on, Boccace a lu et commenté la «Divine Comédie»

San Stefano, wo Boccaccio angeblich Dantes „Göttliche Komödie" gelesen und kommentiert hat

Florentine religious art: (above) Madonna and Child by Buglioni and (below) sculpture of the school of Luca della Robbia
Art religieux florentin. En haut, la Madonne à l'Enfant par Buglioni: en bas, sculpture de l'atelier de Luca dell Robbia
Religiöse Kunst in Florenz. Oben: Madonna und Kind von Buglioni. Unten: Skulptur aus der Schule Luca della Robbias

ART OF FLORENCE

L'art Florentin

Die Kunstdenkmäler von Florenz

'Dawn' by Michelangelo, Medici Chapel
«L'Aurore» de Michel-Ange, à la chapelle Médicis
„Morgendämmerung" von Michelangelo, Grabkapelle der Medici

Giuliano dei Medici by Michelangelo, Medici Chapel
Jiuliano dei Médicis par Michel-Ange, chapelle Médicis
Giuliano dei Medici von Michelangelo, Grabkapelle der Medici

'Brutus' by Michelangelo, Bargello
«Brutus» par Michel-Ange, Bargello
„Brutus" von Michelangelo, Bargello

Tomb of Giuliano dei Medici by Michelangelo, Medici Chapel
Tombe de Jiuliano dei Médicis, par Michel-Ange, chapelle Médicis
Grab des Giuliano dei Medici von Michelangelo, Grabkapelle der Medici

'Dusk' by Michelangelo, Medici Chapel
«Le crépuscule» par Michel-Ange, chapelle Médicis
„Abend" von Michelangelo, Grabkapelle der Medici

'Madonna and Child' by Michelozzo, Bargello
«La Madonne à l'Enfant» par Michelozzo, Bargello
„Madonna und Kind" von Michelozzo, Bargello

Madonna by Rossellino, Santa Croce
Madonne par Rossellino, Santa Croce
Madonna von Rossellino, Santa Croce

'Rape of the Sabine Women' by Giambologna, Loggia dei Lanzi in the Piazza della Signoria
«L'Enlèvement des Sabines» par Giambologna, Loggia dei Lanzi, Piazza della Signoria
„Raub der Sabinerinnen" von Giambologna, Loggia dei Lanzi auf der Piazza della Signoria

'San Damiano' by Raffaello da Montelupo,
Medici Chapel (detail)
«San Damiano» par Raffaello da Montelupo,
chapelle Médicis (détail)
„San Damiano" von Raffaello da Montelupo,
Grabkapelle der Medici (Detail)

Courtyard of the Bargello Museum
Jardin du Musée du Bargello
Hof des Bargellomuseums

'David' by Donatello, Bargello
«David» par Donatello, Bargello
,,David" von Donatello, Bargello

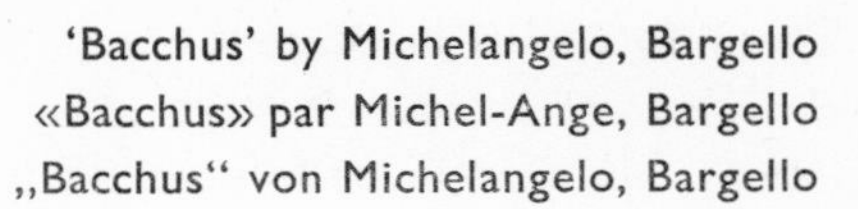

'Bacchus' by Michelangelo, Bargello
«Bacchus» par Michel-Ange, Bargello
„Bacchus" von Michelangelo, Bargello

'St. John' by Girolamo Picciati, Duomo Museum

«Saint Jean» par Girolamo Picciati, Musée du Dôme

„St. Johannes" von Girolamo Picciati, Dom-Museum

'San Damiano' by Raffaello da Montelupo, Medici Chapel

«San Damiano» par Raffaello da Montelupo, chapelle Médicis

„San Damiano" von Raffaello da Montelupo, Grabkapelle der Medici

Detail from the Medici Chapel, by Michelangelo
Détail de la chapelle Médicis, par Michel-Ange
Detail der Grabkapelle der Medici von Michelangelo

'San Cosimo' by Montorsoli, Medici Chapel
«San Cosimo» par Montorsoli, chapelle Médicis
„San Cosimo" von Montorsoli, Grabkapelle der Medici

'La Pieta': French art, 15th century, Bargello
«La Pieta»: Art français du XVème siècle, Bargello
„La Pieta": französische Kunst, 15. Jahrhundert, Bargello

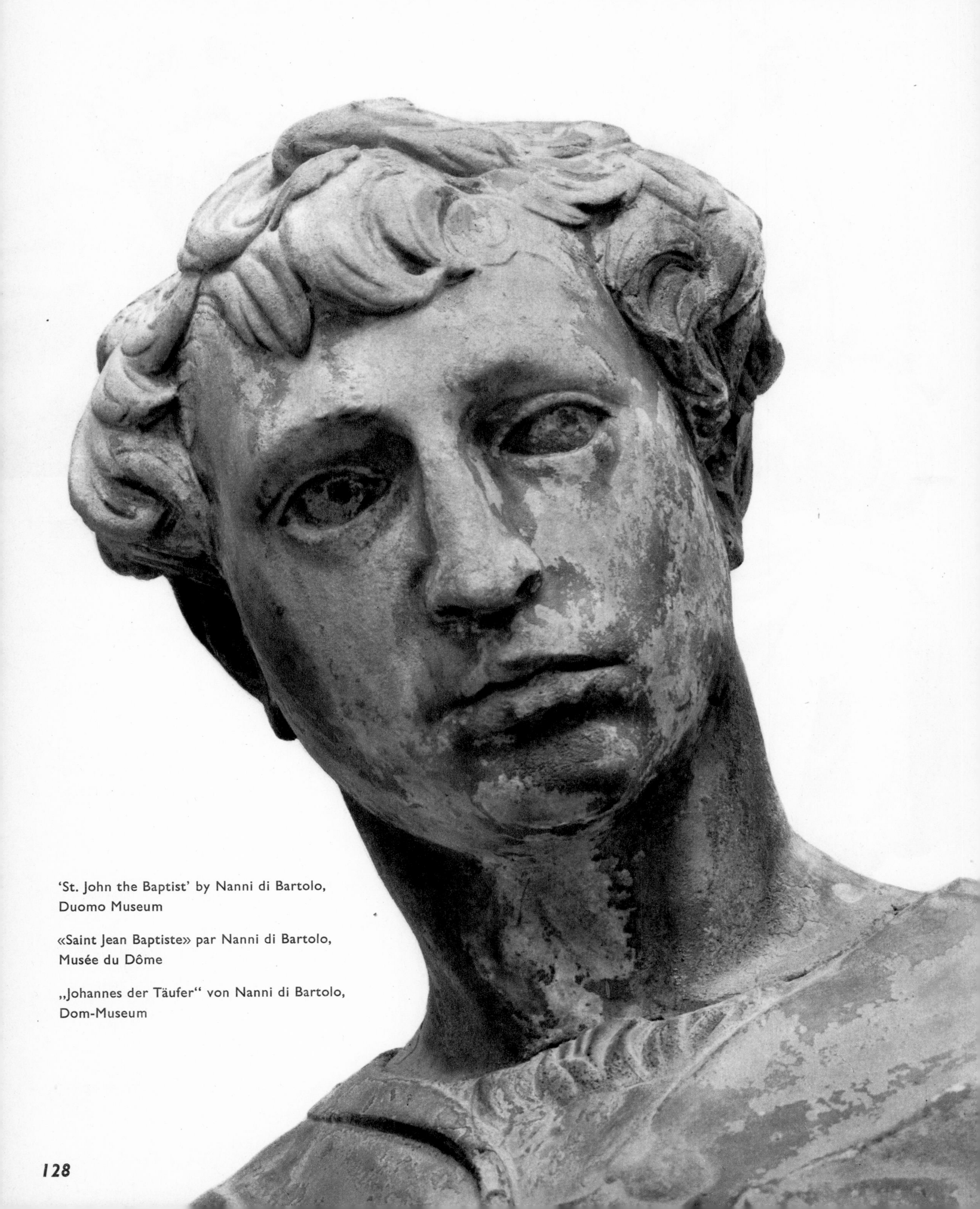

'St. John the Baptist' by Nanni di Bartolo, Duomo Museum

«Saint Jean Baptiste» par Nanni di Bartolo, Musée du Dôme

„Johannes der Täufer" von Nanni di Bartolo, Dom-Museum

'Jeremiah' by Donatello, Duomo Museum
«Jérémie» par Donatello, Musée du Dôme
„Jeremias" von Donatello, Dom-Museum

'Madonna and Child' by Michelangelo, Bargello
«La Madonna à l'Enfant» par Michel-Ange, Bargello
„Madonna und Kind" von Michelangelo, Bargello

'Madonna and Child' by Arnolfo di Cambio, Duomo Museum

«Madonne à l'Enfant» par Arnolfo di Cambio, Musée du Dôme

„Madonna und Kind" von Arnolfo di Cambio, Dom-Museum

Florentine art, 14th century: St. Anne, the Virgin and Child, Bargello

Art florentin du XIVème siècle: Ste Anne, la Vierge et l'Enfant, Bargello

Florentinische Kunst, 14. Jahrhundert: die heilige Anna, Maria und das Kind, Bargello

'Madonna and Child with Angels' by Agostino di Duccio, Bargello
«Madonne à l'Enfant avec les anges» par Agostino di Duccio, Bargello
„Madonna und Kind mit Engeln" von Agostino di Duccio, Bargello

'The Annunciation' by Donatello, Santa Croce
«L'Annonciation» par Donatello, Santa Croce
„Die Verkündigung" von Donatello, Santa Croce

Detail from a Renaissance fireplace, Benedetto da Rovezzano, Bargello

Détail d'une cheminée de la Renaissance, par Benedetto da Rovezzano, Bargello

Detail eines Renaissance-Kamins, Benedetto da Rovezzano, Bargello

Details of Choir Gallery, by Luca della Robbia, Duomo Museum
Détails de la Galerie du Choeur, par Luca della Robbia, Musée du Dôme
Details der Sängerkanzel, Luca della Robbia, Dom-Museum

'St. George' by Donatello, Bargello
«Saint-Georges», par Donatello, Bargello
„St. Georg" von Donatello, Bargello

Unknown Florentine artist: detail, from Bargello
Artiste florentin inconnu: détail, Bargello
Unbekannter Florentiner Künstler: Detail am Bargello

Orsanmichele: detail by Nanno di Banco
Orsanmichele: détail par Nanno di Banco
Orsanmichele: Detail von Nanno di Banco

Marzocco (heraldic lion of Florence) by Donatello
Marzocco (lion héraldique de Florence) par Donatello
Marzocco (Florentiner Wappenlöwe) von Donatello

Bishop, by unknown artist (14th century), Bargello
Evêque, par un artiste inconnu (XIVème siècle), Bargello
Bischofsstatue eines unbekannten Künstlers (14. Jahrhundert), Bargello

'Boniface VIII' by Arnolfo di Cambio, Duomo Museum
«Boniface VIII» par Arnolfo di Cambio, Musée du Dôme
„Bonifaz VIII." von Arnolfo di Cambio, Dom-Museum

Detail by Serafini, 16th century, Bargello
Détail par Serafini, XVIème siècle, Bargello
Detail von Serafini, 16. Jahrhundert, Bargello

Capital, San Miniato
Chapiteau, San Miniato
Kapitell, San Miniato

Emblem of the Medici, Belvedere Fortress
Emblème des Médicis, Forteresse du Belvédère
Wahrzeichen der Medici, Festung Belvedere

'Il Porcellino'

Piazzale Michelangelo: silhouetted is a copy in bronze of Michelangelo's 'David'

Piazzale Michelangelo: on reconnaît en silhouette une copie en bronze du «David» de Michel-Ange

Piazzale Michelangelo: in der Silhouette eine Bronzekopie von Michelangelos „David"

ENVIRONS OF FLORENCE

Les environs de Florence

Die Umgebung von Florenz

Pian dei Giullari

Piazza Mino da Fiesole

The Old Walls and
Belvedere Fortress

Les vieux murs et la
Forteresse du Belvédère

Die alten Stadtmauern
und die Festung Belverede

Roman Baths, Fiesole
Thermes romains, Fiesole
Römische Bäder, Fiesole

Badia Fiesolana

The Old Walls
Les vieux murs
Die alten Stadtmauern